二年级的

小豆豆

狐狸姐姐 著

北方联合出版传媒（集团）股份有限公司
春风文艺出版社
·沈 阳·

© 狐狸姐姐　2011

图书在版编目（CIP）数据

二年级的小豆豆：注音全彩美绘版 / 狐狸姐姐著.
—沈阳：春风文艺出版社，2011.5（2015.12重印）
（七色狐注音读物）
ISBN 978-7-5313-3975-5

Ⅰ.①二…　Ⅱ.①狐…　Ⅲ.①汉语拼音 — 儿童读物
Ⅳ.①H125.4

中国版本图书馆CIP数据核字（2011）第057802号

北方联合出版传媒（集团）股份有限公司
春风文艺出版社出版发行
http://www.chinachunfeng.net
（沈阳市和平区十一纬路25号　邮编：110003　狐狸姐姐热线：024-23284285）
沈阳市博益印刷有限公司印刷

责任编辑	赵亚丹	责任校对	金丹艳	
绘　画	（母隽楠）鲁迅美术学院传媒动画分院第八工作室（mumu_0003@sina.com）	装帧设计	宸宸卡通工作室	
		幅面尺寸	180mm×210mm	
字　数	100千字	印　张	7	
版　次	2011年5月第1版	印　次	2015年12月第27次	
书　号	ISBN 978-7-5313-3975-5	定　价	18.00元	

人物介绍

小豆豆

可爱、调皮。养过鸡，做过神探，卖过花，找过警察……趣事一箩筐。

黄美美

小豆豆的同桌，爱臭美，有名的告状大王，总爱和小豆豆作对。

田大壮

淘气包。尽管是小豆豆的死党，但两个人也常常发生战争。

又美丽又可爱。小豆豆做梦都想和她同桌。

何小米

小豆豆的新班主任。对同学们好得不得了，有时生气的样子也很吓人哦!

甜甜老师

朱珠

小胖丫，最爱吃巧克力豆。胆子像芝麻粒那么大。

目 录

目 录

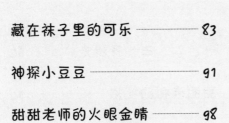

刺猬头和老丁头儿

九月一日开学了，小豆豆神气地上了二年级。

这节是美术课。一年级时，教小豆豆美术的是怪怪老师——李小花。不

过，她"留级"了，还教一年级。刚刚毕业的美术张老师顶着一个刺猬头走进了教室。小豆豆想，如果张老师在路上遇到大坏蛋，就可以用刺猬头当武器。

张老师今天没穿那条裤裆快要到膝盖的牛仔裤，而是换上了那条破了好多个窟窿的旧旧的牛仔裤。这条破牛仔裤是小豆豆最喜欢的，配上刺猬头，把张老师显得格外酷。

张老师说今天的课很好玩，大家可以选任意一位同学画像。

田大壮第一个嚷道："朱珠归我画，你们谁也不许画！"朱珠在班级里是"重量级"的女生，非常有特点。

"朱珠是你家的啊，凭什么不让别人画！"张老师的话引得同学们一阵哄笑。

xiǎo dòu dou de yǎn jing
小 豆 豆 的 眼 睛

xiàng tàn zhào dēng shì de zài jiào
像 探 照 灯 似 的 在 教

shì li sǎo lái sǎo qù zuì hòu
室 里 扫 来 扫 去 ，最 后

hái shi luò zài le tóng zhuō huáng
还 是 落 在 了 同 桌 黄

měi měi shēn shang
美 美 身 上 。

huáng měi měi xià de chòng
黄 美 美 吓 得 冲

tā zhí bǎi shǒu qiān wàn bú yào huà wǒ wǒ zhǎng de méi
他 直 摆 手 ："千 万 不 要 画 我 ，我 长 得 没

tè diǎn bù hǎo huà
特 点 ，不 好 画 。"

huáng měi měi zhēn pà xiǎo dòu dou huà tā xiǎo dòu dou
黄 美 美 真 怕 小 豆 豆 画 她 。 小 豆 豆

de huà huà shuǐ píng zài bān li
的 画 画 水 平 在 班 里

shì dào shǔ de yī nián jí
是 倒 数 的 。 一 年 级

de shí hou guài guai lǎo shī
的 时 候 ，怪 怪 老 师

jiāo dà jiā huà dà hóng píng
教 大 家 画 大 红 苹

guǒ jié guǒ xiǎo dòu dou
果 ，结 果 ，小 豆 豆

de huà jiāo shàng qù zhī hòu
的 画 交 上 去 之 后 ，

bǎ guài guai lǎo shī dòu de hā
把 怪 怪 老 师 逗 得 哈

3

哈大笑。

怪怪老师说，如果苹果都长成小豆豆画的那个样儿，那谁都不敢吃。

田大壮好奇地问："难道是白雪公主后妈的毒苹果？"

怪怪老师把小豆豆画的苹果展示给大家看，结果同学们全笑开了。小豆豆画的红苹果太像红屁股了。

"小豆豆，如果你答应不画我，我就送你一个小瓢虫。"黄美美从书包里翻出一块瓢虫造型的香橡皮。

小豆豆非常喜欢这种仿真橡皮，只可惜不是毛毛虫造型的，要不然就更酷了。

收下了黄美美的礼物，小豆豆就不能画黄美美了。小豆豆开始寻找新目标。他扭头看看这个，又看看那个，总是没有满意的。这时张老师喊道："小豆豆，你东张西望不好好儿画画做什么？"

张老师的话一下子提醒了小豆豆，小豆豆偷偷一笑，他现在想好画谁了。

小豆豆觉得灵感像喷泉一样咕嘟咕嘟往外冒。他先画了个大鹅蛋，这是张老师的脸。妈妈曾经说过她长的就是鹅蛋脸，这样的脸形最漂亮。

接着就是在鹅蛋上安东西了。

小豆豆刷刷几笔画完了刺猬头。

小豆豆很庆幸地想：多亏张老师梳的头型够酷，要是像田大壮梳的那种傻小子头，那可就显不出我的本事来了。

小豆豆开始美滋滋地画眼睛。张老师的眼睛不大，也许原来张老师是大

眼睛，可能因为总是眯着眼睛画画就变小了。小豆豆想了又想，决定把张老师的小眼睛画成炯炯有神的大眼睛，这样张老师看了一定会高兴。

鼻子、嘴就好画多了。张老师不爱笑，那就不画他的牙齿，不画牙齿可以省好多事，要不然画那么多颗牙得花多少时间啊！

当他把张老师牛仔裤上的最后一个窟窿画完的时候，他长长地叹了一口气，唉，他已经数过了，张老师裤子上共有三十一个窟窿。

黄美美问他："不会是又画坏了吧？"

"唉，黄美美，你说我怎么这么有才呢！"小豆豆做出一副自我陶醉的样子。

当黄美美抻着脖子看到小豆豆的画之后，她半天没有说出话来。

这时，朱珠突然呜呜哭了。她说田大壮故意把她画得像个老妖婆。

周围的同学都围了上去。一看田大壮笔下的朱珠，大家笑得前仰后合。画面上朱珠的脸圆圆的，上面还有星星点点的小麻子，就像一张芝麻饼。

同学们再看朱珠手中的画，笑得更欢了。因为一看这张画就知道是按照那首顺口溜画的：一个老丁头儿，偷我俩玻璃球。我说三天还，他说四天还，绕了一大圈儿。买了三根韭菜，花了三毛三；买了一块豆腐，花了六毛六……在画的右下角还歪歪扭扭地写着几个字：超级帅哥田大壮。

张老师无奈地看着朱珠和田大壮。

小豆豆为了让张老师高兴一下，忙把自己的大作举到张老师眼前。同学们看到小豆豆画的居然是张老师，都十分感兴趣。

大家边看边哧哧地笑。画面上，张老师的脑袋尖尖的，下巴圆圆的、胖胖的，像鹅蛋没错，不过是尖头朝上的脏兮兮的鹅蛋。两只大眼睛像牛眼睛一样向外鼓着。刺猬头变成了一堆乱草。再配上那条破了三十一个窟窿的牛仔裤，简直就是一个叫花子。

张老师的脸有些涨红了。

"张老师都生气了，你把他画得真丑啊！"黄美美趴在小豆豆的耳边说。

"没有啊！你看我把张老师的小眼

jīng dōu huà chéng le dà yǎn jīng ér qiě hái shì é dàn liǎn
睛都画成了大眼睛，而且还是鹅蛋脸

ne wǒ mā ma shuō é dàn liǎn zuì piào liang xiǎo dòu dou
呢！我妈妈说鹅蛋脸最漂亮。"小豆豆

wěi qu de jiào dào
委屈地叫道。

tóng xué men xiǎng xiào yòu bù gǎn xiào
同学们想笑又不敢笑。

zhè shí zhāng lǎo shī bǎ xiǎo dòu dou lǒu guò qù shuō
这时，张老师把小豆豆搂过去说：

xiǎo dòu dou de huà zhēn tè bié wǒ xǐ huan zhāng lǎo shī
"小豆豆的画真特别，我喜欢！"张老师

de liǎn shang lù chū le wán pí de xiào róng
的脸上露出了顽皮的笑容。

再见了，扁桃体

同学们正在热烈地讨论"十一"黄
金周到哪儿玩。吕跳跳说要上北京，何
小米说要去海洋馆看鲨鱼，田大壮说要
到农村去看大肥猪。大家笑成了一团，

只有小豆豆很老实地坐在那儿。黄美美觉得有点儿奇怪。她故意把作业本、文具盒全移到小豆豆那边的课桌上，小豆豆也不理她。

"小豆豆，我的东西过界了！"黄美美提醒他。

没想到小豆豆的眼圈儿红了。黄美美一下子慌了："好了，我的地盘也归你了，你别哭！"黄美美把桌面上的文具统统收到桌膛里。

"我的嗓子总发炎，医生说要切掉扁桃体。"小豆豆使劲儿眨了眨眼睛，可还是没能忍住眼泪。

"啊——"田大壮大叫道，"你会不会变成哑巴？"

黄美美狠狠地踩了田大壮一脚，田

dà zhuàng yě jué de zì jǐ shuō cuò le huà　mǎ shàng bǎ zuǐ wǔ
大 壮 也 觉 得 自 己 说 错 了 话 ，马 上 把 嘴 捂

shàng le
上 了 。

　　hé xiǎo mǐ ān wèi xiǎo dòu dou shuō　méi shì　wǒ
　　何 小 米 安 慰 小 豆 豆 说 ：" 没 事 ，我

mā ma de biǎn táo tǐ yě zhāi diào le　jiù téng yì xiǎo xià
妈 妈 的 扁 桃 体 也 摘 掉 了 ，就 疼 一 小 下 ，

tā xiàn zài hái tè bié néng láo dao ne
她 现 在 还 特 别 能 唠 叨 呢 ！"

　　zhè liǎng tiān nǐ xiǎng chī shén me jiù shǐ jìn er de
　　" 这 两 天 你 想 吃 什 么 就 使 劲 儿 地

chī　chī gè gòu　pàng zhū zhū zuì dān xīn de shì xiǎo dòu
吃 ，吃 个 够 ！" 胖 朱 珠 最 担 心 的 是 小 豆豆手术之后不能马上吃零食。

"真的没事，打一针麻药，你睡着了，医生用小钩子一钩，就把扁桃体摘下来了。"何小米很肯定地说。

"我五岁就把阑尾割了，当时我只哭了一小会儿。你们看，现在还有疤呢！"田大壮说着掀开衣服，果然在肚皮下方有道疤，像条浅红色的小虫子。

女生们吓得直咧嘴，田大壮说："你们看，这是美容针，缝得多漂亮啊！"

"小豆豆，别害怕，我到医院给你加油！"黄美美说，她把小手绢递给小豆豆，让他擦鼻涕和眼泪。这在以前绝对不可能，那次小豆豆用她的手绢擦

汗，气得黄美美揪着手绢的一角一个劲儿地说"臭死了，臭死了"。

哭过之后，小豆豆觉得不那么害怕了。

晚上，小豆豆给黄美美打电话，说要给黄美美表演一段快板儿。论起来，黄美美还得管小豆豆叫师叔呢，因为黄美美也在少年宫学快板儿，不过，她学得晚，她的师父是小豆豆师父的徒弟，也就是小豆豆的师哥。

小豆豆的声音听起来很响亮，他说的是一段有趣的笑话，把黄美美逗得哈哈直笑。

"过完节再见，我明天就要手术了。"黄美美还沉浸在笑话中，小豆豆啪地把电话挂断了。

第二天是过节前的最后一天，一想到小豆豆现在正在医院里手术，黄美美就有些担心，如果是自己做手术，一定会哭得稀里哗啦的。

"十一"长假过去了，当小豆豆一进教室，同学们就不再听何小米、田大壮讲假期见闻了，小豆豆的扁桃体手术可比海洋馆的大鲨鱼、农村的大肥猪更让同学们关心。

面对同学们关心、好奇的目光，小豆豆的脸都红了。

他笑着对同学们做了个胜利的手势，轻声说："对不起，医生说我得少说话，而且要小声说话。"

"是啊，你千万别大声说话啊！"田大壮也学着小豆豆的口气悄声说，再配

15

上他那东张西望的眼神，就像特务在接头。同学们全都笑了起来。

尤其是大嘴吕跳跳笑得把所有的牙齿都要露出来了。

"你们快看，吕跳跳乐得把扁桃体都要露出来了！"小豆豆压低了声音说。

同学们笑得更欢了。

17

给甜甜老师找朋友

xiǎo dòu dou yī nián jí de bān zhǔ rèn shì wáng zǐ lǎo
小豆豆一年级的班主任是王子老

shī bú guò yīn wèi wáng zǐ lǎo shī diào dào bié de xué xiào
师，不过，因为王子老师调到别的学校

qù le èr nián jí èr bān jiù lái le wèi xīn bān zhǔ rèn
去了，二年级二班就来了位新班主任。

xiǎo dòu dou xiàn zài de bān zhǔ rèn shì wèi piào liang de
小豆豆现在的班主任是位漂亮的

女老师，叫唐甜甜。

甜甜老师特别爱笑，小豆豆他们很快就喜欢上了她。

二年级四班的孙老师星期天结婚了。看着穿得像公主一样漂亮的孙老师一脸高兴的样子，小豆豆可急坏了。因为据黄美美得到的情报，孙老师二十四岁，比甜甜老师还小一岁呢。现在二十四岁的孙老师已经当上了新娘子，可是二十五岁的甜甜老师还没有白马王子呢！

下课了，小豆豆身边聚了五六个同学。他们要一起想办法给甜甜老师找朋友。

朱珠说："教美术的张老师多帅啊，他的刺猬头真酷！甜甜老师跟张老

师结婚多好啊！"

田大壮坚决反对，他说张老师不爱笑，甜甜老师爱笑，爱笑的人和不爱笑的人在一起一定很别扭。

"我妈可爱看一个节目了，就是在电视上找朋友，咱们甜甜老师多漂亮啊，一定会有许多人喜欢的。"何小米说。

"不行，不行，甜甜老师如果不去上电视，我们总不能把她抬去吧！"黄美美坚决反对。

这也不行，那也不行，大家急得团团转。小豆豆忽然来了个倒立，把双脚搭在墙上。黄美美冲小豆豆直跺脚，她着急地喊道："我们在研究大事呢，你怎么练起倒立来了！"

"你们不懂了吧，我爸想不出问题的时候就练倒立，他说这样能让血都流到脑袋里，就能很快想出办法来了。"

小豆豆的脸憋得通红。

过了一会儿，他站起来高兴地说："我有办法了！"

他把办法向同学们一说，大家都齐声叫好。

小豆豆说："我小舅最帅，而且还是摄影师，我明天就把我小舅领到学校来。"

"甜甜老师爱吃方便面，我家邻居李叔叔是批发方便面的，甜甜老师一定会喜欢李叔叔。"朱珠着急地说。

"我妈说了，方便面是垃圾食品。你想把甜甜老师害死啊？"黄美美叉着腰冲朱珠嚷道。

"我没想害甜甜老师，甜甜老师也不会死！"朱珠委屈地大叫。

"你想了！"黄美美大喊着。

"我没想，我没想，我没想！"朱珠气得鼓鼓的。

就在这时，甜甜老师从教学楼里走了出来，看到几个学生在那儿争吵，笑着走过来。像被关上了水龙头，大家一下子全不出声了。

"你们在做什么呢？"甜甜老师俯下身子笑着问。

"我们……我们在研究一件大事。"黄美美支支吾吾地说。

"对，一件天大的事。"小豆豆指指天神秘地说。

朱珠扯扯甜甜老师的衣袖问："甜甜老师，您爱吃方便面还是爱照相？只能选一个。"

甜甜老师被问愣住了，她想了一会儿说："我爱照相。"

小豆豆高兴得一下子跳起来。

朱珠失望地说："可是我明明看到这两天中午您总吃方便面嘛。"

甜甜老师呵呵笑了，她说她的一颗大牙刚刚修理过，只能吃软乎乎的东西。"方便面中有防腐剂，对身体不好。如果总吃方便面，人死后，尸体都不会腐烂。"甜甜老师开玩笑说。

"那就会变成木乃伊了，真好玩！"小豆豆抢着说。

甜甜老师笑了起来，同学们也笑了起来。只有朱珠还在伤心，看起来，甜甜老师真的不会喜欢卖方便面的李叔叔了。

第二天放学，小豆豆的小舅来接他。平时都是妈妈接小豆豆。这都是小豆豆安排好的。小豆豆打电话给小舅说，他们学校的向日葵开得可好了，他和他的同学都想和向日葵合影。他还告诉小舅，到学校来一定要打扮得帅帅的，因为他已经和同学吹完牛了，说他帅得像《白雪公主》里的王子一样。

当小舅来到学校，立刻就被小豆豆他们围住了，大家冲着小舅哧哧直笑，把小舅笑得都不好意思了。朱珠的一双大眼睛一眨不眨地盯着小舅的脸。没办法，小舅只好把相机对准自己的脸来了个特写。当他看到相机中自己的脸上确实没有什么饭粒之类的东西之后，这才放下心来。

　　"小可爱们，你们谁想和向日葵合影，快来吧！"小舅帅气地一挥手。

　　同学们一下子挤到花坛前，花坛里十几棵向日葵举着黄灿灿的笑脸。这时，小豆豆拉着甜甜老师的手跑了过来，甜甜老师的马尾巴辫子在脑后一甩一甩的，可好看了！

黄美美把甜甜老师拉到同学们中间。小舅把长长的镜头对准大家。小豆豆笑着先喊了声："八戒肥不肥？"

甜甜老师和黄美美他们紧接着齐声答道："肥！"

小舅被逗得呵呵直笑。他当了这么多年摄影师，还第一次听到有人照相不喊"茄子"，而是喊"肥"。

在欢快的笑声中，和向日葵的合影活动结束了。

"谢谢向日葵，谢谢大摄影师，给同学们带来这么多的快乐！"甜甜老师和小舅笑着握握手。

"耶！"小豆豆他们全都欢快地叫起来。黄美美还调皮地冲小豆豆做了

个 胜利 的 手势。

小豆豆笑得比盛开的向日葵都灿烂。

第三天，小豆豆的小舅亲自把洗好的照片送到学校来。小豆豆领着小舅来到甜甜老师的办公室。甜甜老师一边看着照片，一边笑吟吟地对小舅说："看孩子们笑得多好看啊！我要给我澳大利亚的男朋友寄去，让他也开心一下。"

小豆豆在心里长长地叹了口气，他抬起头看着小舅，小舅以为自己的脸上有饭粒之类的东西，急忙用手去抹嘴和下巴。

不过，小豆豆马上又高兴起来，现在他终于不用操心为甜甜老师找朋友了！

二年级 的 小豆豆

会出汗的王小跑

　　zhè tiān wǎn shang　　 xiǎo dòu dou zhèng zuò zài kè tīng chī shuǐ
　　这 天 晚 上 ， 小 豆 豆 正 坐 在 客 厅 吃 水

guǒ　 mā ma de hǎo péng you yě　jiù shì xiǎo dòu dou de shòu ā
果 ， 妈 妈 的 好 朋 友 也 就 是 小 豆 豆 的 寿 阿

yí lái le　　jù mā ma shuō　 shòu ā yí de yé ye de yé
姨 来 了 。 据 妈 妈 说 ， 寿 阿 姨 的 爷 爷 的 爷

ye shì qīng cháo de wáng ye　　nà me shòu ā yí jiù yīng gāi shì
爷 是 清 朝 的 王 爷 ， 那 么 寿 阿 姨 就 应 该 是

个 格 格 了 。

小 豆 豆 特 别 喜 欢 寿 阿 姨 ， 因 为 她 会 在 大 街 上 当 着 一 大 堆 人 的 面 为 小 豆 豆 跳 《 三 只 熊 》 ， 当 时 小 豆 豆 只 有 四 岁 半 。

寿 阿 姨 来 了 ， 像 往 常 一 样 ， 寿 阿 姨 还 是 穿 戴 得 十 分 隆 重 。 " 隆 重 " 这 个 词 是 妈 妈 专 门 用 来 形 容 寿 阿 姨 的 。

小 豆 豆 数 了 数 寿 阿 姨 手 上 的 戒 指 ， 有 八 个 ， 左 手 腕 上 戴 了 一 串 细 手 镯 ， 脖 子 上 还 戴 了 一 块 石 头 。 石 头 看 起 来 有 点 儿 大 ， 小 豆 豆 有 些 替 寿 阿 姨 的 脖 子 担 心 。

寿 阿 姨 今 天 穿 了 一 件 绿 衣 服 ， 小 豆 豆 觉 得 戴 了 许 多 首 饰 的 寿 阿 姨 真 像 一 棵 美 丽 的 圣 诞 树 。

寿 阿 姨 今 天 还 带 来 了 一 个 小 男 生 ，

tā jiù shì shòu ā yí sì suì de ér zi wáng xiǎo pǎo
他 就 是 寿 阿 姨 四 岁 的 儿 子 —— 王 小 跑 。

xiǎo dòu dou rèn wéi wáng xiǎo pǎo zhè ge míng zi zhēn tè bié
小 豆 豆 认 为 王 小 跑 这 个 名 字 真 特 别 。

zhǐ yǒu shòu ā yí zhè me tè bié de rén cái huì qǔ chū zhè
只 有 寿 阿 姨 这 么 特 别 的 人 才 会 取 出 这

me tè bié de míng zi lái shòu ā yí qǔ zhè ge míng zi
么 特 别 的 名 字 来 。 寿 阿 姨 取 这 个 名 字

shì xī wàng ér zi zuò shén me shì dōu bú yào tuō lā
是 希 望 儿 子 做 什 么 事 都 不 要 拖 拉 。

小豆豆的妈妈和寿阿姨把王小跑交给了小豆豆照看，她们在客厅里笑得嘎嘎的。

王小跑一进小豆豆的房间，就把小豆豆书桌的抽屉一个个全打开了，把东西一件件全扔到地板上。小豆豆捡得越快，他扔得就越快，还咯咯地笑个不停。

小豆豆不想理这个小淘气了。"小孩真麻烦！"小豆豆在心里埋怨着。他想起以前妈妈曾经问他给他生个弟弟或妹妹行不行。当时他还点头说行。现在他改变主意了，他可不想要什么小弟弟或者小妹妹了，如果妈妈能给他生个小狗狗该多好啊！

从寿阿姨一进门，小豆豆就注意到

了寿阿姨的那双高跟鞋，那双高跟鞋是透明的，就像《灰姑娘》中的水晶鞋。鞋跟尖尖的，不像妈妈的鞋都是松糕鞋，看上去一点儿都不刺激。他弄不明白为什么女生都爱穿高跟鞋，高跟鞋难道有什么魔力？他发誓今天一定要研究明白。

小豆豆悄悄地溜到了门口，两个大人聊得正起劲儿，根本没有注意到他。他飞快地拿起高跟鞋又蹑手蹑脚地回到了房间。

屋里的地上被王小跑扔得乱七八糟的。可小豆豆已经顾不上这些了，他现在迫不及待地想要穿上这双水晶鞋。

小豆豆把右脚伸进鞋里，又扶着桌子把左脚也伸进鞋里。哈哈，鞋跟好高

哦，小豆豆觉得一下子长高了许多。

"王小跑，看哥哥给你表演个模特儿步。"王小跑正坐在床上摆弄小豆豆的文具盒，看到小豆豆穿上了他妈妈的高跟鞋觉得很好玩。他瞪大了乌溜溜的眼睛看着扭着屁股走路的小豆豆。

开始小豆豆只是小心翼翼地扶着桌子走，走得非常稳。小豆豆不禁得意起来。看起来穿高跟鞋也不难嘛，而且很好玩！他松开了手，可是没走两步，他就踩到了地板上的一张纸，小豆豆的左脚滑了一下，扑通一声坐到地上。

王小跑乐得直拍手："哥哥，太好玩了！再来一个！"

小豆豆气鼓鼓地看着王小跑。王小跑一定以为小豆豆是故意摔给他看的。小豆豆光着脚丫站起来，揉了揉摔疼的屁股。他捡起鞋刚想再走一次模特儿步，突然发现一只鞋的鞋跟掉了。

小豆豆捧着鞋呆呆地站在那里。

这是水晶鞋，一定很贵吧？

王小跑噔噔噔跑到客厅大声嚷道："不好了，哥哥完蛋了，哥哥完蛋了！"

两个大人慌忙跑进屋，看到小豆豆咧着嘴捧着掉了跟的鞋都忍不住哈哈大笑。小豆豆沮丧地一屁股坐到床上，不过，他马上又跳了起来。他可怜的屁股坐到了一汪水。

"妈妈！"小豆豆尖叫起来，"是谁在床上洒的水？"

小豆豆的妈妈用手摸了摸床单，又闻了闻，大笑着说："好像是哪个小猴

撒 的 尿 哦 ！”

　　寿 阿 姨 瞪 了 王 小 跑 一 眼 ，王 小 跑 不

好 意 思 地 捂 着 屁 股 说 ：“ 不 是 我 尿 的 ，

是 …… 是 …… 我 出 的 汗 ！”

　　哈 哈 哈 ，这 下 连 小 豆 豆 都 忍 不 住

笑 了 。

对不起，警察叔叔

<ruby>早<rt>zǎo</rt></ruby><ruby>自<rt>zì</rt></ruby><ruby>习<rt>xí</rt></ruby><ruby>时<rt>shí</rt></ruby>，<ruby>甜<rt>tián</rt></ruby><ruby>甜<rt>tian</rt></ruby><ruby>老<rt>lǎo</rt></ruby><ruby>师<rt>shī</rt></ruby><ruby>告<rt>gào</rt></ruby><ruby>诉<rt>su</rt></ruby><ruby>同<rt>tóng</rt></ruby><ruby>学<rt>xué</rt></ruby><ruby>们<rt>men</rt></ruby><ruby>她<rt>tā</rt></ruby><ruby>要<rt>yào</rt></ruby><ruby>到<rt>dào</rt></ruby><ruby>外<rt>wài</rt></ruby><ruby>校<rt>xiào</rt></ruby><ruby>去<rt>qù</rt></ruby><ruby>听<rt>tīng</rt></ruby><ruby>公<rt>gōng</rt></ruby><ruby>开<rt>kāi</rt></ruby><ruby>课<rt>kè</rt></ruby>，<ruby>第<rt>dì</rt></ruby><ruby>三<rt>sān</rt></ruby><ruby>节<rt>jié</rt></ruby><ruby>上<rt>shàng</rt></ruby><ruby>课<rt>kè</rt></ruby><ruby>时<rt>shí</rt></ruby><ruby>她<rt>tā</rt></ruby><ruby>就<rt>jiù</rt></ruby><ruby>能<rt>néng</rt></ruby><ruby>赶<rt>gǎn</rt></ruby><ruby>回<rt>huí</rt></ruby><ruby>来<rt>lái</rt></ruby><ruby>上<rt>shàng</rt></ruby><ruby>语<rt>yǔ</rt></ruby><ruby>文<rt>wén</rt></ruby><ruby>课<rt>kè</rt></ruby>。<ruby>可<rt>kě</rt></ruby><ruby>是<rt>shì</rt></ruby>，<ruby>第<rt>dì</rt></ruby><ruby>三<rt>sān</rt></ruby><ruby>节<rt>jié</rt></ruby><ruby>课<rt>kè</rt></ruby><ruby>上<rt>shàng</rt></ruby><ruby>到<rt>dào</rt></ruby><ruby>一<rt>yí</rt></ruby><ruby>半<rt>bàn</rt></ruby><ruby>了<rt>le</rt></ruby>，<ruby>甜<rt>tián</rt></ruby><ruby>甜<rt>tian</rt></ruby><ruby>老<rt>lǎo</rt></ruby><ruby>师<rt>shī</rt></ruby><ruby>才<rt>cái</rt></ruby><ruby>满<rt>mǎn</rt></ruby><ruby>头<rt>tóu</rt></ruby><ruby>大<rt>dà</rt></ruby><ruby>汗<rt>hàn</rt></ruby><ruby>地<rt>de</rt></ruby><ruby>跑<rt>pǎo</rt></ruby>

进教室，刘海儿都贴到脑门儿上了。

小豆豆很奇怪地问："老师，你路上遇到老虎了吗？"

"哦，没遇到老虎，不过，遇到了警察。"甜甜老师笑笑。

"警察都是抓坏蛋的，老师也不是坏蛋啊！"现在不但小豆豆奇怪，连何小米也越听越糊涂了。

"唉，都怪老师骑车不小心闯了红灯，结果'小马驹'被中山路的警察没收了。我又忘记带钱，只好连走带跑地回来了。""小马驹"是甜甜老师对她自行车的爱称。那辆自行车的轮子特别小，看起来就像一辆玩具自行车。

小豆豆大声说："警察叔叔不讲理，应该给老师点儿钱，让老师坐公交

车回学校。"

田大壮随声附和说:"应该给老师八块钱,让老师打车回来。"

同学们在下面唧唧喳喳地议论着,教室里像装了几十只小麻雀。

甜甜老师拍拍手,同学们马上安静下来:"其实是老师不对,不能怪警察叔叔,如果每个人都不遵守交通规则,那城市就会乱套。"

中午吃完了饭,小豆豆把操场上正在玩耍的同学们叫到一起。当小豆豆把他的主意说给他们听时,大家都说好。

小豆豆在前面走,十二名同学跟在后面。

何小米说:"一会儿到了中山路交

通岗，大家千万要讲礼貌，可不能给咱们班丢脸。"

田大壮说："Yes，Sir！"

天气热极了，像个大蒸笼，太阳像张滚烫的金黄色的大圆饼，热气直往人脸上扑。从学校到中山路交通岗有两站路，才走到一半，胖朱珠第一个喊道："不行了，我还是在这儿等你们吧，我实在走不动了。"说完就一屁股坐到马路边。

"肉包子！"小豆豆不满地说。

"菜包子！"朱珠反驳道。

剩下十一名同学继续跟着小豆豆走。

当大家排着整齐的队伍站到中山路交通岗时，正在执勤的警察叔叔不禁

愣住了。他蹲下身子问站在第一个的小豆豆："小朋友，你们有什么事需要叔叔帮忙吗？"

"报告警察叔叔，请问我们可以帮您指挥交通吗？"小豆豆向警察叔叔行了个队礼。

"指挥交通？"警察叔叔还是不明白。

"如果我们帮您指挥交通，您可不可以把老师的自行车还给我们？"田大壮着急地说。甜甜老师的自行车现在正立在路口的墙边。

"你把甜甜老师的自行车没收了，我们老师没带钱就不能坐车，是跑着回学校的。"何小米说着眼泪都要流出来了。

警察叔叔终于有点儿明白了，看起来墙边那辆红色的自行车一定是这些小孩的老师的，他们是给老师要自行车来了。

警察叔叔笑了。他正想说什么，忽然何小米叫道："老师——"甜甜老师正在向这边跑来。

甜甜老师气喘吁吁地跑到警察跟前时，不好意思地说："警察同志，对不起！"

警察向她敬了个礼说："老师，真羡慕你教了这么一帮小可爱啊！"

"那我们老师的'小马驹'可以还给我们吗？"小豆豆问道。

警察叔叔满脸笑容有些调皮地看着小豆豆反问道："你们说呢？"

"耶！"同学们欢呼起来。

短命的小队长

xiǎo dòu dou hái cóng lái méi dāng guo guān ne　shuō shí
小豆豆还从来没当过官呢，说实

huà　tā tǐng xiàn mù hé xiǎo mǐ　hé xiǎo mǐ de gē bo shang
话，他挺羡慕何小米，何小米的胳膊上

dài zhe xiān hóng de liǎng dào gàng
戴着鲜红的两道杠。

tiān qì yǒu xiē rè　hé xiǎo mǐ chuān de shì wú xiù shàng
天气有些热，何小米穿的是无袖上

衣，就没有地方别两道杠了，小豆豆很大方地伸出胳膊说他可以让何小米把两道杠别在上面。

"想得美！"何小米把两道杠小心翼翼地装进了书包里。

"小气鬼！"小豆豆气得转过头不再理何小米了。

过了几天，小豆豆恳求妈妈在地摊上为他买了一件胳膊上带三道杠的T恤。当他神气地穿着这件"干部服"上学时，黄美美笑着说："哈哈，你的衣服可真有趣！人家田大壮穿的是阿迪达斯，你穿的是阿迪爸斯。"

经黄美美一指点，小豆豆才发现田大壮的衣服上印着"ADIDAS"，而自己的衣服上印着"ADIBAS"。

"爸斯"就"爸斯"，能穿就行，小女生就是爱讲究，黄美美连上体育课都在胳膊上搽防晒霜，小豆豆觉得真是太好笑了。

可是，上体育课时，体育老师的话让小豆豆特别不好意思，他说："小豆豆，咱俩都是假干部，你是三道杠，我是四道杠。"同学们看看体育老师T恤的袖子上印着鲜红的四道杠，又看看小豆豆那鲜红的三道杠，全都忍不住笑了。

小豆豆发誓一定要好好儿表现争取当个货真价实的官，哪怕当不成大官当个小官也行。

小豆豆相信自己绝对能管得了自己。上音乐课时，朱珠在小纸包里包了

几粒巧克力豆趁老师不注意扔到他桌上，如果是以往，小豆豆保准偷偷塞进嘴里了。他觉得朱珠说得很对，上课偷吃巧克力豆味道格外好。可是现在不同了，他得管好自己，小豆豆把小纸包放进桌膛里，任凭朱珠不停地在后面踹他的椅子。

上甜甜老师的语文课，小豆豆更是次次举手，虽然甜甜老师没叫他几次，可是甜甜老师已经注意到他了，表扬他上课积极举手发言。有一次，甜甜老师提出的问题有些难，全班没有一个人举手，只有小豆豆习惯性地高高举起了手。等他被甜甜老师叫起来，看着甜甜老师那期待的眼神，他支吾了半天才满脸通红地说："老师，我想上厕所。"在一片哄笑声中，小豆豆慌忙跑出教室。

过了两周，小豆豆终于被甜甜老师任命为小队长。当小豆豆别着鲜红的一道杠时，他觉得个子都好像一下子长高了，人也变帅了。

田大壮还没当过官呢，看到小豆

豆当上了小队长，就在小豆豆身边不停地嚷着："猪头小队长！猪头小队长！"

田大壮的话没有惹恼小豆豆，却把朱伯鱼和朱仲鱼给惹急了。大鱼、小鱼这对双胞胎可都是小队长，而且都姓朱，两个人一起替小豆豆报了仇。

很可惜，小豆豆只当了两天半的小队长。

那天中午吃完饭，田大壮看着擦得亮亮的教室地面，突然有了个新想法——他要和小豆豆比赛看谁滑得远。

田大壮一个助跑，从教室前门刺溜一下滑到教室的第二个窗户。小豆豆不甘示弱，一个助跑，从教室的前门一下滑到教室的后门，如果不是一个人拦住他，说不定他会把墙撞破，冲到隔壁的二年级三班。站在小豆豆面前的正是板着脸的教导主任。

滑行比赛的结果是小豆豆胜利了，不过，他胳膊上的一道杠却被甜甜老师没收了。

"短命的小队长啊！"小豆豆觉得自己管好自己还真不容易呢！

带声音的照片

再有几天王七七就要随她爸爸去美国了。王七七不喜欢去美国。

"美国可好了，听说上课都可以随便吃东西。"朱珠羡慕地说。

王七七还是不高兴。

"七七，你最适合去美国了，听说他们老外认为小眼睛的都是美女。"何小米忽闪着一对毛嘟嘟的大眼睛看着王七七的小眼睛说。

王七七的眼圈儿红了。

小豆豆最怕女生哭了，他连忙劝王七七："美国的大杏仁可好吃了，你可以吃个够。美国还有迪斯尼，你可以玩个够。"

没想到，听了小豆豆的话，王七七哇地哭出声来，她抽抽搭搭地说："可是美国没有你们啊！到时候我就看不到你们了！"

"这有什么难的，明天就让我小舅来，给我们拍一大堆合影，你想我们了

就 拿 出 来 看 看 。"

王 七 七 终 于 露 出 了 一 点 点 笑 脸 。

第 二 天 下 午 自 习 时 ， 小 豆 豆 的 小 舅

来 到 了 学 校 。 小 舅 今 天 的 装 备 非 常 不

一 般 —— 镜 头 粗 粗 的 ， 像 一 挺 大 炮 。 这

样 的 相 机 照 出 的 照 片 准 没 错 。

王七七今天穿得特别漂亮，粉红色的纱裙，头上还别着有粉红色蝴蝶结的发卡，就像一位美丽的公主。

小豆豆今天特意穿了一件雪白的T恤，他已经想好了，一定要抢到最好的位子，也就是紧挨着王七七。

有这种想法的可不光他一个人，田大壮也铆足了劲儿要挨着王七七。

王七七坐在第一排的中间，甜甜老师在左边，田大壮刚要坐在右边，小豆豆一下子把他拱到一边。田大壮也不示弱，用力一推就把小豆豆推倒在地。当小豆豆从地上爬起来的时候，啊的一声大叫起来。原来在雪白的T恤上印着两个黑手印。都是田大壮汗津津的手惹的祸。

"田大壮，你等着，我让我小舅把你的脑袋换成猪八戒的脑袋。"小豆豆曾经亲眼看到小舅用电脑把一个美女的脑袋换成猴子的脑袋。

田大壮才不相信呢！他紧紧地靠着

王七七，好像他和王七七已经成了连体人。

衣服上印着两个"铁砂掌"，小豆豆想坐第一排也没有办法了。甜甜老师把他安排到第二排，也就是王七七的身后。

看着王七七头上的蝴蝶结，小豆豆忽然觉得这个位子很不错。

费了好半天的劲，甜甜老师累得汗都出来了，才算把同学们安排好。

"这可比往蒸锅里码饺子还费力啊！"小舅举着"大炮筒"感慨地对甜甜老师说。

"饺子听话，我们不听话。"

小豆豆的话引得大家哄的一声笑了。

"下面我们就开始照相了，大家笑一个！"小舅边说边举起相机。

田大壮赶紧挤出笑容，可是因为紧张，他的嘴角在轻轻地颤抖。

"田大壮，放轻松，笑得自然点儿。"小舅上前轻轻地拍拍田大壮的脸蛋。

小舅举起了相机，同学们都龇着小牙。可小舅又把相机放下了。问题还是出在田大壮身上。田大壮一笑嘴角就在发抖。

折腾了几次之后，不但田大壮嘴角发抖，别的同学也好像不会笑了。

小豆豆跑到前面说："现在大家跟我一起喊王七七的小名。"接着小豆豆大声喊道，"七七——"

小舅一下子明白过来："对，大家一起喊'七七'，这样你们的脸上就会带上自然的笑容了。"

"一、二、三，七七——"同学们齐声喊道。

小舅接连按动快门。

当小舅让同学们看照片回放时，大家全笑开了。在王七七的头上长出了好几只"兔耳朵"，而照片上同学们脸上那笑容仿佛一直在喊着"七七"。

"王七七，这下你在美国想我们了，不但能看到我们，还能听到我们叫你呢！"小豆豆调皮地说。

可是没想到，小豆豆的一句话又把王七七的眼泪给引出来了。

一、二、三，齐步走

zhè jǐ tiān xiǎo dòu dou tè bié máng xué xiào yào kāi
这 几 天 小 豆 豆 特 别 忙 。 学 校 要 开

qiū jì yùn dòng huì le chú le yī nián jí de xiǎo dòu bāo
秋 季 运 动 会 了 ， 除 了 一 年 级 的 小 豆 包

wài qí tā nián jí de xué sheng yí lǜ yào liè fāng duì
外 ， 其 他 年 级 的 学 生 一 律 要 列 方 队

rù chǎng
入 场 。

这天下午自习课，甜甜老师把同学们召集到操场上。

甜甜老师告诉大家，今天的主要任务是练习走路。同学们一下子笑开了。

"走路谁不会啊，是人都会走！"田大壮调皮地说。

"那可不一定，刚出生的小孩儿会走吗？还有我家院里的吴爷爷也不会。"小豆豆害怕话题落地，连忙接茬儿。

同学们笑了起来。黄美美不解地问："吴爷爷怎么不会走呢？"

"因为他得了脑血栓。"小豆豆摊开双手一副无奈的样子。

如果不是甜甜老师吹了一声哨子，他们的讨论还会没完没了。

全班三十五名同学，排成八行，每行四个人，还余下三个人只能排在第九行。

"如果王七七不转走就好了。"甜甜老师一边排，一边自言自语。

"没事，您可以代替王七七。"小豆豆出主意说。

走路练习开始了，这可不是普通的走路，得正步走。

田大壮第一个被甜甜老师请出了队列，田大壮不服气地说："老师，我没犯错误啊！"

"你走得很卖力，很认真，只是有点儿小毛病。"甜甜老师笑了，她让田大壮再给大家走一遍。

田大壮自信满满地用力甩开胳膊

走了起来。开始大家还在为田大壮担心，怕他再多使一点劲儿会让胳膊和身体分家。可是，过了一会儿，同学们就被田大壮逗得前仰后合。

"你顺拐啦！"小豆豆哈哈大笑着叫道。

田大壮这才发现自己果然顺拐了。

田大壮像正常走路一样走了几步，这下不顺拐了。可是等他再正步走，又顺拐了。

"为什么我一用力走路就顺拐呢？"田大壮的脸变成了苦瓜脸。

还没等甜甜老师说什么，小豆豆抢着说："你别紧张就不会顺拐，你一紧张就会顺拐。"

甜甜老师笑着点点头。小豆豆还

自告奋勇跑到前面来给田大壮做示范，小豆豆一副轻松的模样，挺直了身子，一边正步走，一边微笑，看起来就像在欣赏美景。小豆豆走得真棒，就像电视里国旗护卫队的解放军叔叔，帅极了！

田大壮练了几次终于不再顺拐了。

可是问题又出来了，这次问题出现在小豆豆身上。

"小豆豆，你走的时候要用眼睛的余光瞅着左右两边的同学，要保持队列整齐。"甜甜老师说。

"可是，老师，我的眼睛只能同时看一边，不能分开看两边啊！"小豆豆像怕踩着地雷一样小心翼翼地走着。

"走方队最主要的是要整齐，一群人走要像一个人走一样。"甜甜老师

又说。

"明明是三十五个人在走，怎么可能变成一个人呢？"小豆豆心里嘀咕着。

小豆豆自己也发现他的确和别人走得不一样，总是比旁边的同学快一点儿。

休息时，小豆豆非让和他一排的黄美美、田大壮、吕小强三个人同他一起练习。可是小豆豆总是能成为四个人中最显眼的一个，不是走快了，就是走慢了。气得其他三个人都不愿意再和他一起练了。

"为什么不在耳朵两边再长两只眼睛呢？"小豆豆一个人在太阳底下生闷气。

甜甜老师把满头大汗的小豆豆拉到树荫底下，她说她有办法了。

甜甜老师说小豆豆可以当举班牌子的，这样他就不用和左右两边的人对齐了。

"老师，那最后一行就剩两个同学了，那不如让两个人走在小豆豆后面。"黄美美说。

田大壮没当上举班牌的，于是撅着嘴反对："你以为小豆豆是皇上啊，后面还得跟着保镖！"他也想当举牌子的。

"好主意！"甜甜老师笑了，"我觉得有两个人最适合。你们猜出来是谁了吗？"

"大鱼、小鱼！"小豆豆和黄美美异

71

kǒu tóng shēng de huí dá　　zhū bó yú hé zhū zhòng yú shì shuāng
口 同 声 地 回 答 。 朱 伯 鱼 和 朱 仲 鱼 是 双

bāo tāi　　zhū bó yú de xiǎo míng jiào dà yú　　zhū zhòng yú de
胞 胎 。 朱 伯 鱼 的 小 名 叫 大 鱼 , 朱 仲 鱼 的

xiǎo míng jiào xiǎo yú
小 名 叫 小 鱼 。

　　xué xiào yùn dòng huì kāi mù shì shang　　èr nián jí èr bān
　　学 校 运 动 会 开 幕 式 上 , 二 年 级 二 班

de fāng duì zuì rě rén zhù mù
的 方 队 最 惹 人 注 目 。

小豆豆的妈妈特意给他租了一套演出服，天蓝色的制服加上白色的手套，再配上小豆豆那帅气的正步走，简直神气极了。而大鱼和小鱼穿上雪白的公主裙，简直成了可爱美丽的小公主。

最棒的是后面的八排三十二名同学，全都是雪白的衣裤，鲜艳的红领巾飘在胸前。当走到主席台时，他们啪地一扭头，微笑着敬了一个队礼，动作整齐得真像一个人一样。

甜甜老师的礼物

　　tián tian lǎo shī yào qù běi jīng xué xí sān tiān　　lín zǒu
　　甜 甜 老 师 要 去 北 京 学 习 三 天 ，临 走
shí　　tián tian lǎo shī wèn dà jiā xiǎng yào shén me lǐ wù
时 ，甜 甜 老 师 问 大 家 想 要 什 么 礼 物 。
　　zhū zhū dì yī gè jǔ shǒu　　shuō tā xiǎng yào běi jīng de
　　朱 珠 第 一 个 举 手 ，说 她 想 要 北 京 的
guǒ fǔ
果 脯 。

田大壮笑话朱珠就知道吃。甜甜

老师问田大壮想要什么，田大壮想了

半天不好意思地说："其实北京的烤鸭

也不错哟！"

小豆豆说："老师，我就不要吃的

了，您把天安门的华表给我们带回来一

个吧！"

"华表很贵吧？"黄美美最近刚买

了一块带芭比图案的粉色手表，她总

是挽起袖子，伸着胳膊在小豆豆的眼

前晃。

"华表不是手表，它比一百万个芭

比手表还要贵呢！"

黄美美吃惊得张大了嘴巴。

"只要同学们能在我出差期间好好

儿表现，那你们每个人都会有一份小礼

75

物。你们能做到吗？"甜甜老师问。

"能！"同学们异口同声地回答，其中小豆豆和田大壮的声音特别响亮。

给二年级二班代课的是教手工课的徐老师。在小豆豆眼里，徐老师是个"面"老师，讲课时一着急脸都会红，还不如小豆豆的胆子大呢！

周五下午自习课时，徐老师给大家布置了一大堆作业，谁写完了，谁可以先出去玩。这样徐老师就是坐在办公室里也可以保证教室里安安静静。

同学们恨不得自己的手是飞毛腿。小豆豆第一个跑到办公室交作业，结果被徐老师给退回来了。没办法，小豆豆的字简直像长了翅膀。有几个字写错了，他懒得找橡皮，就用手指蘸着

tuò mo cèng cèng　　nòng de běn zi zāng hū hū de　　xiàng tiē zhe
唾 沫 蹭 蹭 ， 弄 得 本 子 脏 乎 乎 的 ， 像 贴 着

yí kuài kuài de gāo yao　　zuì diū rén de shì　　xú lǎo shī ràng
一 块 块 的 膏 药 。 最 丢 人 的 是 ， 徐 老 师 让

tā bǎ xiě de dōng xi niàn yí xià　　míng míng shì tā zì jǐ xiě
他 把 写 的 东 西 念 一 下 ， 明 明 是 他 自 己 写

de zì　　kě shì tā kàn le bàn tiān yě rèn bù chū xiě de shì
的 字 ， 可 是 他 看 了 半 天 也 认 不 出 写 的 是

什么了。

小豆豆红着脸垂头丧气地回到教室。田大壮一边写字，一边冲他做鬼脸。何小米看了看小豆豆手中被徐老师撕掉的作业小声说："我教你个好办法，你得把字写得小点儿，这样不但省劲儿，还省时间，你看我的字多小啊！"

小豆豆一看，果然何小米的字比他的小多了，站着队整齐地排在格子里。而自己的字又大又丑，就像毛毛虫。

小豆豆只好埋下头来照着何小米的样子重新抄写课文。

教室里的人越来越少。在操场上自由自在玩的同学越来越多，就连田大壮都已经在和黄美美他们跳皮筋了。小豆豆的心都要飞出去了。

"为什么第一遍我不认真写呢？要不然现在也该出去玩了。"小豆豆在心里骂着自己。

他左右一看，朱珠正在一边吃巧克力豆，一边写作业，看起来一点儿也不着急。

看到朱珠吃得那么香，小豆豆不禁有些饿了。他忽然想起桌肚里还有一碗方便面，那是老妈晚上要带他学跆拳道为他准备的晚饭。

小豆豆到教室后面的饮水机接来热水泡上方便面。没一会儿，方便面的香味就飘了出来。小豆豆很陶醉地吸了吸鼻子，拿起一次性筷子狼吞虎咽地吃了起来。忽然，他看到徐老师从走廊那边向教室走来。小豆豆急忙把碗面

塞进桌膛里。

"你们几个怎么写得这么慢,是不是边写边玩了?"徐老师走进教室,皱了皱眉头。

小豆豆连忙低下头装出很认真写字的样子。可是他用眼睛的余光发现徐老师在他桌前停了下来。

"小豆豆,你是在写作业吗?"徐老师问。

"我是在写作业。"小豆豆很认真地回答。

"我还头一次见到有人写作业用筷子呢!"徐老师指着小豆豆手中的筷子说。

因为用筷子写作业,小豆豆上了徐老师的"黑名单"。徐老师说,等他们的班主任回来一定会好好儿收拾他

们的。

周一早自习，甜甜老师站在讲台上给大家发小礼物，是各种口味的果脯。

轮到小豆豆了，甜甜老师递给他一张明信片，上面印着壮丽的天安门，天安门前挺立着汉白玉雕刻而成的一对华表，直冲云霄。

小豆豆低着头站在讲台前，他低声说："对不起，老师，我不应该收您的礼物。"

田大壮也走到前面说："老师，把果脯还给您吧，我也不应该收您的礼物。"

甜甜老师笑了笑说："收下我的礼物吧，就当下次你们对我的承诺。"

小豆豆真想钻进时光隧道回到几天前啊！

藏在袜子里的可乐

就像小狗爱啃骨头、小鸡爱吃虫子一样，小豆豆最爱喝的是可乐。

不过，在实验小学要想买到可乐是不可能的。实验小学的小卖部里贴了一张纸：本店不卖碳酸饮料。小豆豆不知道碳酸饮料有哪些，但他可以肯定可乐一定是碳酸饮料的一种。

不知学校小卖部不卖碳酸饮料是从什么时候开始的，因为从小豆豆迈进这个学校的第一天，学校小卖部就有这条规定了。

这可难不住小豆豆，出校门不远就有家超市，里面无论是可口可乐还是百事可乐，无论是大瓶的还是小瓶的，全都有。

可是最近学校不但不卖可乐，甚至值周生看到有人喝可乐都会记下来，给班级扣分。小豆豆可不想给班级抹黑。

小豆豆绞尽脑汁，终于想出了一个好办法。他偷偷从衣柜里找出一双爸爸的大袜子，尽管这双黑袜子已经是洗过的了，小豆豆还是小心翼翼地闻了闻，要知道老爸的袜子可是有名的毒气弹，小豆豆曾经亲眼看过老爸把脏袜子

扔在地板上，袜子能够立起来，老妈给老爸起了个外号——袜神。

小豆豆说："以后出门带着老爸的臭袜子，就不用害怕坏蛋了。"

爸爸问为什么。小豆豆调皮地笑了："因为坏蛋都会被熏倒的。"

小豆豆手上的这双袜子现在一点儿臭味也没有，甚至还有一点儿洗衣粉的香味。小豆豆把一只袜子塞进书包里。

中午，小豆豆在校外的小超市买了一小瓶冰镇可乐，他把可乐装进了黑袜子里。当他大摇大摆地从值周生的眼前经过时，值周生根本没有注意到他。太聪明了！小豆豆不禁有些佩服自己。

小豆豆走到操场上，痛快地喝了一

大口可乐。"啊——好凉快啊！"小豆豆满意地咂着嘴。

"不许动，举起手来！"忽然从背后传来一声大喊，把小豆豆吓得差点儿把可乐弄洒了。

一看是好朋友田大壮，小豆豆这才放下心来。

"你的袜子里装的什么宝贝，不会是圣诞老爷爷送你的臭袜子吧？"田大壮有些好奇。

"你闻闻就知道是什么宝贝了。"小豆豆把装着可乐的袜子递给田大壮，吓得田大壮直往后躲。小豆豆的臭脚丫田大壮早就领教过了。

"不要后悔哦！"小豆豆神秘地捧着袜子跑开了。

zhū zhū yě duì xiǎo dòu dou shǒu zhōng de wà zi chǎn shēng

朱 珠 也 对 小 豆 豆 手 中 的 袜 子 产 生

le xìng qù

了 兴 趣 。

zhū zhū qiāo qiāo de gēn zōng xiǎo dòu dou zhōng yú zài xiào

朱 珠 悄 悄 地 跟 踪 小 豆 豆 ， 终 于 在 校

wài chāo shì fā xiàn le xiǎo dòu dou de mì mì

外 超 市 发 现 了 小 豆 豆 的 秘 密 。

dāng xiǎo dòu dou zhèng bǎ kě lè píng zi sāi jìn dà hēi

当 小 豆 豆 正 把 可 乐 瓶 子 塞 进 大 黑

wà zi lǐ shí zhū zhū tū rán tiào chū lái bǎ xiǎo dòu dou

袜 子 里 时 ， 朱 珠 突 然 跳 出 来 ， 把 小 豆 豆

吓了一大跳。

朱珠也怕喝可乐被值周生扣分。

小豆豆答应她明天把爸爸的另一只大

袜子送给朱珠。

小豆豆和朱珠的黑袜子里面的秘

密最后还是被黄美美发现了。被小喇

叭黄美美发现了就等于被全班发现了，

也等于被甜甜老师发现了。

两只袜子成了甜甜老师的俘虏。

甜甜老师抖着两只大袜子笑着说：

"哈，这还真是很特别的瓶套呢！"

过了两天，学校通知各班收看闭路

电视，是一部科普片——《你敢喝碳酸

饮料吗》。

小豆豆一边看电视，一边吓得直伸

舌头，原来喝多了碳酸饮料这么可怕

啊，不但爱骨折，而且人还容易变笨。

片子的最后一个镜头是一张照片，照片上一个小男孩龇着短短的满是裂缝的小黑牙。这个小男孩，小豆豆再熟悉不过了，正是他们班的吕跳跳。

好恐怖的"可乐牙"啊！

神探小豆豆

dòng màn pín dào zhèng zài bō fàng dòng huà piàn míng zhēn tàn
动漫频道正在播放动画片《名侦探

kē nán xiǎo dòu dou mí shàng le shén tōng guǎng dà shén jī
柯南》，小豆豆迷上了神通广大、神机

miào suàn shén chū guǐ mò de zhēn tàn kē nán
妙算、神出鬼没的侦探柯南。

xiǎo dòu dou duì huáng měi měi shuō tā xiàn zài de lǐ xiǎng
小豆豆对黄美美说，他现在的理想

bú shì dāng xiǎo pǐn yǎn yuán le ér shì yào dāng lǐ kē nán
不 是 当 小 品 演 员 了 ， 而 是 要 当 李 柯 南 。

huáng měi měi tīng le xiǎo dòu dou de lǐ xiǎng hòu pū chī
黄 美 美 听 了 小 豆 豆 的 理 想 后 ， 扑 哧

xiào le tā shuō tā nìng kě xiāng xìn zhū huì fēi yě bù xiāng
笑 了 。 她 说 她 宁 可 相 信 猪 会 飞 ， 也 不 相

xìn xiǎo dòu dou néng chéng wéi lǐ kē nán
信 小 豆 豆 能 成 为 李 柯 南 。

xiǎo dòu dou wèn wèi shén me
小 豆 豆 问 为 什 么 。

huáng měi měi shuō nǐ yòu cū xīn yòu mǎ hu zěn
黄 美 美 说 ："你 又 粗 心 又 马 虎 ， 怎

么当侦探啊？"

　　的确，小豆豆是班里有名的大马

虎，有一次写一段话，他一不小心就把

"爸爸长着一双大眼睛"，写成了"爸爸

长着一双大眼皮"，害得他爸爸得了一

个外号，叫蛤蟆。

　　小豆豆有点儿脸红了。他暗暗发

誓一定要找机会露一手，让黄美美对他

刮目相看。

　　正巧，这天班里出了一件大事，朱

珠丢了两块钱。朱珠把书包里的东西

全倒出来了也没找到。

　　"你是不是把两块钱变成了巧克力

豆了？"田大壮开玩笑说。

　　"闹鬼了，闹鬼了，我昨天就丢过

两块钱，没想到今天又丢了，我真是太

93

倒霉了。"朱珠急得满头大汗。

小豆豆嬉皮笑脸地说:"难道你的钱是人参果,落到地上就会化了?"

"排山倒海!"朱珠像《武林外传》中郭芙蓉那样摆好架势,小豆豆连忙躲到黄美美身后。胖朱珠走起路来就像坦克开过来一样,班里的男生全都害怕她。

"你不是想当大侦探吗,有本事你把朱珠丢的钱找到。"黄美美把小豆豆从身后拉出来。

这话提醒了小豆豆。不过,要想破这个大案还真不容易呢!

小豆豆学着电视中神探的样子问朱珠这两天都去过哪些地方,见过哪些人,和什么人有仇。把朱珠问得直生气，又差点儿用排山倒海来教训他。

没办法，看来朱珠是不能给他提供什么线索了。小豆豆真的不知从什么地方下手。可总不能傻乎乎地站在那里啊，小豆豆只好去翻朱珠的书包。

朱珠没好气地说："我都翻过一百遍了，根本就没在书包里。"

小豆豆装模作样地把右手伸到书包里，忽然，他得意地笑了。等他把手从书包里拿出来的时候，他神秘地把手握成一个拳头。

"现在是见证奇迹的时刻！"小豆豆学着魔术师刘谦的样子说道。

黄美美、朱珠都是一副不以为然的表情。可是当小豆豆把手摊开的时候，在他脏兮兮的手心上果然躺着四枚一

kuài qián yìng bì
块 钱 硬 币 。

wéi guān de tóng xué quán dōu dèng dà le yǎn jing
围 观 的 同 学 全 都 瞪 大 了 眼 睛 。

zhū zhū hào qí de wèn　　　　nǐ shì zěn me biàn de
朱 珠 好 奇 地 问 ： " 你 是 怎 么 变 的

xì fǎ
戏 法 ？ "

xiǎo dòu dou shén mì de yí xiào shén qì de shuō
小 豆 豆 神 秘 地 一 笑 ， 神 气 地 说 ：

zhè jiù shì dà zhēn tàn de běn shi lou
" 这 就 是 大 侦 探 的 本 事 喽 ！ "

"快教教我们吧！"同学们都来了兴趣，七嘴八舌要拜小豆豆为师。

小豆豆把朱珠的书包里子翻开，同学们这才恍然大悟。原来书包里子有一小段开了线，钱都漏到夹层里了。

田大壮不服气地说："这有什么了不起的，钱本来就在书包里嘛，找到很容易啊！"

"新大陆还本来就在地球上呢，人家哥伦布发现了，你不是也没发现！"小豆豆也不示弱。

"那是因为田大壮比哥伦布出生得晚，要不然就是田大壮发现的新大陆了。"黄美美的话引得同学们哄堂大笑。

甜甜老师的火眼金睛

为了实现当神探的理想，小豆豆买来了全套的《名侦探柯南》漫画书。本来小豆豆最爱看电视版的《名侦探柯南》，不过，老妈说电视会把小孩变成傻瓜。

小豆豆不明白，为什么妈妈怕他变成傻瓜，就不怕她自己也变成傻瓜呢？

老妈最近正在看一部长达一百集的韩国电视连续剧。

现在每到下课，小豆豆的身边都会围着好几个同学。他们都特别爱听神探柯南是怎么破案的。每当小豆豆把真相公布出来的时候，他都仿佛觉得这些奇案都是他破的，而不是柯南破的。

这天下午自习课，教导处苏主任怒气冲冲地走进二年级二班的教室，把正在讲桌前批改作业的甜甜老师吓了一大跳。苏主任可凶了，小豆豆发现，不但全校同学怕她，就连刚毕业一

nián duō de tián tian lǎo shī dōu xiàng gè xué sheng shì de yǒu xiē
年 多 的 甜 甜 老 师 都 像 个 学 生 似 的 有 些
hài pà tā
害 怕 她 。

sū zhǔ rèn chén zhe liǎn wèn nǐ men bān shì bú shì
苏 主 任 沉 着 脸 问 ：" 你 们 班 是 不 是
yǒu gè jiào dīng zhuǎ zhuǎ de
有 个 叫 丁 爪 爪 的 ！"

同学们开始一愣，接着全都笑得前仰后合，刚刚凝固的空气一下子活跃起来。

甜甜老师笑着说："苏主任，我们班只有丁瓜瓜，没有丁爪爪。"

这下连苏主任也忍不住笑了，不过她马上严肃起来，让甜甜老师马上把同学们组织好到水房去。不等甜甜老师问为什么，苏主任已经皱着眉头走出了教室。

甜甜老师只好让全班同学站成排来到水房。到了水房，甜甜老师的脸一下子也由春天变成了冬天。

在水房的白墙上写着歪歪扭扭的几个字：丁爪爪是小狗。

同学们一会儿看看墙，一会儿看看气得脸都红了的丁瓜瓜，大家想笑又不

敢笑。

甜甜老师沉思了几秒钟后，让同学们回到了教室。

"大侦探，你猜是谁写的？"黄美美小声问小豆豆。

"谁知道啊？我又不是监视器。"小豆豆没好气地说。

这时，甜甜老师笑了。她把目光落到小豆豆的脸上："神探小豆豆，我猜出是谁写的了，你猜出来了吗？"

小豆豆迟疑了一会儿，不好意思地点点头，把头低下去了。

第二天，小豆豆带了一管牙膏把水房白墙上的字抹得一点儿痕迹都没有了。

甜甜老师在班里夸小豆豆真会想

办法，这么聪明的脑袋将来当侦探准没问题。

听了表扬，小豆豆的脸红得像大苹果，他扭捏着站起来小声说："对不起，老师，那一行字是我写的。"

甜甜老师只是笑着点点头。

"可是，老师您是怎么发现是我写的呢？"小豆豆有些疑惑。

"妈妈长了一张爪子脸。"甜甜老师只说了这样一句话。

同学们全都笑开了，这下大家全明白了。那句话正是小豆豆作文中的一句话，马虎的小豆豆把妈妈的"瓜子脸"写成了"爪子脸"。前几天的语文课上，当甜甜老师读小豆豆的这篇作文的时候，大家肚子都要笑疼了。

钱真的是捡来的

　　每到星期一的时候，何小米都觉得
很难受，因为在升旗仪式之后就是颁发
纪律流动红旗的时间了。纪律流动红
旗似乎和二年级二班有仇，像小河一样

总是流到二年级二班门前，就转个弯到别的班安家落户了。

每当别的班的同学喜滋滋地从教导处苏主任手里接过红旗时，何小米总要偷偷瞅瞅甜

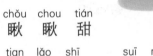

甜老师。虽然甜甜老师的嘴角还是像以往一样向上微微弯着，可是何小米断定甜甜老师的心里也一定难受极了。本来心里难受，还要装成不

难受的样子，那得多累啊！

为什么二年级二班的同学不能给可爱的甜甜老师争口气呢？何小米不禁在心里埋怨着。

这次本来有希望得红旗了，都怪小豆豆，如果不是他到校门外的小吃摊买羊肉串被值周生抓住了，二年级二班也不能一下子被扣掉五分。她狠狠地瞪了小豆豆一眼。小豆豆心虚地低下了头。

何小米发誓下周一定要为甜甜老师争到流动红旗。下课了，她把小豆豆叫过来，两个人悄悄地研究了半天，终于想出了一个好办法。

何小米、小豆豆现在一到课间就站到学校的垃圾箱前，何小米手里还拎着

一个黑色塑料袋。一看到有人倒垃圾，两个人的眼睛就发亮。一个大饮料瓶子躺在垃圾堆里，两个人连忙同时冲过去捡，没想到，就在他们俯身的瞬间，两个脑袋嘭地撞在了一起。何小米和小豆豆疼得龇牙咧嘴。不过看到袋子里又多了一个饮料瓶，两个人还是很开心。

离学校不远就是北陵公园。这天中午，何小米和小豆豆吃完了饭就拎着黑色塑料袋跑到了公园里。一位梳长发的大哥哥正在画画，脚下放着的饮料瓶中已经没有多少饮料了。何小米悄悄拉了拉小豆豆的衣服。

大哥哥发现两个小朋友一直在偷偷看他，就冲他们点点头："你们想学

画画吗？"

"大哥哥，你画得真棒。可是……可是……我们不想学，我们想……"何小米把目光落到饮料瓶上。

"哈哈，原来你们想喝饮料啊！"大哥哥笑了，打开脚边的一个大包，取出一瓶可乐。

小豆豆连忙摆手说："大哥哥，你能把那瓶饮料快点儿喝完吗？我们想要……"

"你们想要空瓶子，对吧？OK！"大哥哥仰起头一饮而尽。

四天后，当小豆豆和何小米攒着一大把零钱交给教导处苏主任时，小豆豆迫不及待地问："老师，我们捡了这么多钱能加五分吗？我们班能得纪律流动红

旗 吗 ？ "

苏 主 任 笑 了 ， 她 低 下 身 子 说 道 ：

" 拾 金 不 昧 是 应 该 加 分 的 。 不 过 要 想 捡

到 这 么 一 大 把 零 钱 还 真 不 容 易 呢 ！ "

" 因 为 …… 因 为 有 一 天 刮 大 风 了 ，

刮 啊 ， 刮 啊 ， 大 风 把 地 上 的 零 钱 都 刮 到

了 一 个 墙 角 ， 我 们 就 捡 到 了 。 " 小 豆 豆

小 声 说 。

苏 主 任 没 有 说 话 ， 她 只 是 笑 呵 呵

地 看 着 小 豆 豆 和 何 小 米 。 以 前 在 校 园

里 看 到 苏 主 任 总 是 爱 板 着 脸 ， 看 起 来

很 凶 的 样 子 ， 现 在 苏 主 任 笑 了 ， 就 一 点

儿 也 不 凶 了 。 小 豆 豆 的 胆 子 大 了 起

来 ， 他 不 好 意 思 地 说 ： " 这 些 钱 都 是 我

们 捡 饮 料 瓶 子 换 来 的 。 我 们 想 给 班 级

争 分 。 "

"哈哈，其实你们说得没错，这些钱的确是你们'捡'来的，给你们班加五分。"

再到升旗仪式的时候，流动红旗还是没有"流"到二年级二班，因为在一次做间操的时候，小豆豆把田大壮推了个大屁蹲儿，一下子被扣了十分。

看着流动红旗又"流"到别的班级去了，小豆豆后悔得眼泪都要掉下来了。

练　胆

二年级二班胆子最小的人当然是朱珠了。别看她长得最胖，可一只小瓢虫都会把她吓得直发抖。如果说朱珠的胆子小得像一粒芝麻，那么何小米的

胆子小得就像一粒大米。

何小米小时候曾经有个外号叫何大胆。那是因为她十个月大的时候，妈妈领她到同事家去玩，同事家养了好几条大泡眼鱼。何小米趁两个大人说话，一下子把小手伸进鱼缸，一条大泡眼鱼就被何小米握在了手里。大泡眼鱼才不想当何小米的俘虏呢，它一挣扎，就从何小米的手中溜走了，不过，两只大眼睛却留在了何小米的手里。何小米的妈妈和那位阿姨吓得直叫唤。

不过，何小米年龄越大，胆子越小。到现在她已经变成二年级二班的胆小鬼亚军了。与何小米相反的是小豆豆，他一年级的时候胆子小，到了二年级胆子却突然长大了。他很愿意给

何小米和朱珠当练胆的老师。平时，是

何小米管着他，现在他终于有机会管管

何小米了。

　　小豆豆问两个小女生是不是害怕

听鬼故事。他一边发出恐怖的声音，一

边用手把脸弄得七扭八歪的。朱珠哎

呀一声尖叫起来。

　　"胆小鬼！你们要想练胆就得先听

我讲吓人的故事，这是第一步。"小豆

豆一本正经地说。

　　虽然有些害怕，但为了不当胆小

鬼，何小米还是点点头，朱珠也跟着点

点头。

　　小豆豆的脑子里装了好多吓人的

故事，他连比画带说，把朱珠吓得不停

地回头往身后看，仿佛小豆豆口中的僵

shī jiù zhí tǐng tǐng de zhàn zài shēn hòu　　hé xiǎo mǐ yě xià
尸 就 直 挺 挺 地 站 在 身 后 。 何 小 米 也 吓

de zhí liě zuǐ　　kàn dào liǎng gè xiǎo nǚ shēng liǎn dōu bái
得 直 咧 嘴 。 看 到 两 个 小 女 生 脸 都 白

le　　xiǎo dòu dou tíng xià le　　kě shì hé xiǎo mǐ rāng rang
了 ， 小 豆 豆 停 下 了 。 可 是 何 小 米 嚷 嚷

zhe shuō hái yào wǎng xià tīng
着 说 还 要 往 下 听 。

　　xiǎo dòu dou zǎo jiù cāi chū huì shì zhè yàng de jié guǒ
　　小 豆 豆 早 就 猜 出 会 是 这 样 的 结 果 ，

àn tā de jīng yàn　　tīng xià rén de gù shi jiù xiàng kè guā
按 他 的 经 验 ， 听 吓 人 的 故 事 就 像 嗑 瓜

zǐ　　yuè kè yuè xiǎng kè
子 ， 越 嗑 越 想 嗑 。

小豆豆每天一下课就给朱珠和何小米讲故事，渐渐地，其他同学也围过来听。一看听众这么多，小豆豆讲得更起劲儿了。

星期五中午的时候，小豆豆神秘地说："今天我要考考你们，看看你们的胆子大点儿没有。"

"不会是拿毛毛虫吓唬我们吧？"朱珠颤抖着声音说。

"不会是要给我们讲个最吓人的故事吧？"何小米问。

小豆豆让她们跟他到北陵公园里。七拐八拐，三个人来到一座大大的假山前。现在正是中午，太阳使劲儿地烤着大地，人们都在阴凉处休息，被烈日烤得热热的假山就变成一处没人答

理的风景了。小豆豆挪开假山下方的一块石板，一个黑糊糊的洞口露了出来。

"现在开始考试！"小豆豆吹了一声哨子，这个哨子是他昨晚特意为今天的考试准备的。

洞口像怪物张大的嘴巴，朱珠和何小米站在洞口说什么也不往前走。小豆豆突然伸出双手一推，两个小女生一下子被推进了洞里，黑暗像块巨大的黑布把她们包裹起来。

"啊——"朱珠高声尖叫，何小米本来不是那么害怕，但黑暗中朱珠的叫声显得格外吓人，何小米觉得身上的每一根汗毛都立起来了。

"我数二十个数后，考试就结束。"小豆豆的声音在山洞里听起来有些远。

何小米和朱珠从来没觉得数二十个数会这么费时间，等小豆豆刚刚数完，两个女生嗖的一下蹿出洞去。因为太着急了，何小米和朱珠的头撞在了一起。

过了好一会儿，小豆豆也没有从洞里出来，何小米和朱珠真是害怕极了。

难道小豆豆被洞里的妖怪抓住了？

两个人一起在洞口大喊："小豆豆！小豆豆！"

可是洞里死一般寂静。

朱珠忍不住哭了。一看朱珠哭了，何小米突然觉得自己的胆子变大了。就在她想往洞里钻的时候，从身后传来一个恐怖的声音："不许动！举起手来！"

一听到这个声音，何小米一下子高兴起来。她扭头一看，小豆豆正冲她做鬼脸呢。

原来假山的背面还有一个小洞，小豆豆就是从那里钻出来的。

这次考试，小豆豆给何小米和朱珠都打了一百分。

"真好玩，明天我还要来这里藏猫猫。"何小米和朱珠已经爱上这个神秘的山洞了。

带臭味的圣诞礼物

míng tiān jiù shì píng ān yè le xiǎo dòu dou de tóng zhuō
明 天 就 是 平 安 夜 了 ， 小 豆 豆 的 同 桌
huáng měi měi zhēn shì xīng fèn jí le   měi nián shèng dàn jié de
黄 美 美 真 是 兴 奋 极 了 。 每 年 圣 诞 节 的
píng ān yè tā dōu huì shōu dào shèng dàn lǎo yé ye sòng lái de
平 安 夜 她 都 会 收 到 圣 诞 老 爷 爷 送 来 的
lǐ wù shèng dàn lǎo yé ye bú kuì shì shén xiān huáng měi měi
礼 物 。 圣 诞 老 爷 爷 不 愧 是 神 仙 ， 黄 美 美

只要在平安夜的前一天晚上把想要的东西写在家里的小黑板上，圣诞老爷爷就会在平安夜那天晚上送给她什么礼物。

这天晚上，黄美美把自己的愿望写在了小黑板上——风火轮。今年流行的一种特别酷的轮滑鞋的牌子就叫风火

轮，脚一踩上，轮子就会变换七色光的那种。他们班的田大壮就有一双，夏天时，田大壮特意在晚上穿着轮滑鞋，在他爸爸的陪同下来到她家给她显示了一番。田大壮还一边滑一边得意地唱着：踩着俩风火轮，光着俩小脚丫……要问我名字叫什么，哪吒哪吒小哪吒。

第二天第三节课后，黄美美对小豆豆神秘地说："今天晚上圣诞老爷爷就要送我风火轮了。圣诞老爷爷跟我可好了，我想要什么他都会答应。"

"你真能吹牛，你以为圣诞老爷爷是你亲爷爷啊！你要天上的星星你看看他给你吗？我表姐告诉过我，世界上根本没有圣诞老爷爷，圣诞老爷爷其实就是爸爸妈妈装的。"田大壮插嘴说。

"圣诞老爷爷才不是爸爸妈妈装的呢！"黄美美不服气地说。

"你怎么知道的？"小豆豆问。

"我当然知道了，去年圣诞节我爸爸得到了一份礼物，你们猜是什么？"

"巧克力！"朱珠说。巧克力是朱珠的最爱。

小豆豆说："一把宝剑。"

黄美美摇摇头："告诉你们吧，爸爸和我都把装圣诞礼物的大袜子放在床头，结果第二天起来，爸爸的大袜子里装着一双爸爸前几天穿的臭袜子，里面还有一张纸。"黄美美讲到这里故意停下来。

果然，小豆豆着急地问："纸上写的是什么？"

"黄先生，请把您的臭袜子洗洗！"

黄美美的话音刚落，大家全哈哈笑了。

"你们看，如果我爸爸是圣诞老爷爷，他怎么会送自己这么臭的礼物呢！"黄美美冲小豆豆得意地说。

黄美美还神气地宣布："怎样才能过个有意思的圣诞节呢？告诉你们吧，今天晚上我要到太原街卖花，可好玩了！"

一听卖花，大家全都兴奋起来，小豆豆说他也想和黄美美一起去太原街卖花。

黄美美告诉小豆豆晚上六点在太原街的新世界百货门前集合。

当保镖不容易

wǔ diǎn wǔ shí wǔ fēn　dāng xiǎo dòu dou bèi mā ma sòng
五点五十五分，当小豆豆被妈妈送

dào xīn shì jiè bǎi huò mén kǒu shí　què méi yǒu fā xiàn huáng měi
到新世界百货门口时，却没有发现黄美

měi　zhèng dāng xiǎo dòu dou dōng zhāng xī wàng de shí hou　yí gè
美。正当小豆豆东张西望的时候，一个

chuān zhe yì shēn hóng sè shèng dàn yī　tóu dài shèng dàn mào de rén
穿着一身红色圣诞衣，头戴圣诞帽的人

tiào dào tā miàn qián
跳 到 他 面 前 。

xiǎo dòu dou shèng dàn kuài lè zhè ge rén cū
"小 豆 豆 , 圣 诞 快 乐 ！ " 这 个 人 粗
shēng cū qì de duì tā shuō
声 粗 气 地 对 他 说 。

xiǎo dòu dou zǐ xì yí kàn zhè bú shì huáng měi měi
小 豆 豆 仔 细 一 看 , 这 不 是 黄 美 美
ma huáng měi měi de zuǐ shang tiē le liǎng piě bái hú zi nán
吗 ？ 黄 美 美 的 嘴 上 贴 了 两 撇 白 胡 子 , 难
guài xiǎo dòu dou méi rèn chū lái tā
怪 小 豆 豆 没 认 出 来 她 。

píng ān yè de tài yuán jiē cǎi dēng shǎn shuò piào liang de
平 安 夜 的 太 原 街 彩 灯 闪 烁 , 漂 亮 得
jiù xiàng tóng huà zhōng de měi lì chéng bǎo
就 像 童 话 中 的 美 丽 城 堡 。

xiǎo dòu dou lā zhe huáng měi měi zhàn dào bù xíng jiē zhōng
小 豆 豆 拉 着 黄 美 美 站 到 步 行 街 中
xīn de yì zhāng cháng yǐ zi shang zài bù yuǎn chù hái yǒu yí
心 的 一 张 长 椅 子 上 。 在 不 远 处 还 有 一
wèi gāo gè zi shū shu yě zài mài méi gui huā xiǎo dòu dou kě
位 高 个 子 叔 叔 也 在 卖 玫 瑰 花 , 小 豆 豆 可
bù xiǎng bǐ tā ǎi
不 想 比 他 矮 。

xiǎo dòu dou ràng tā mā ma dào shāng chǎng qù guàng guang
小 豆 豆 让 他 妈 妈 到 商 场 去 逛 逛 ,
huáng měi měi dōu shì zì jǐ yí gè rén lái mài huā rú guǒ tā
黄 美 美 都 是 自 己 一 个 人 来 卖 花 , 如 果 他
ràng mā ma péi nà duō ràng rén xiào hua a
让 妈 妈 陪 , 那 多 让 人 笑 话 啊 ！

xiǎo dòu dou mā ma shuō le yí dà duī zhǔ fù de huà
小 豆 豆 妈 妈 说 了 一 大 堆 嘱 咐 的 话 ,

最后一句话最让小豆豆不好意思："黄美美，帮我好好儿看着小豆豆，可别让他被坏人拐走啊！"

黄美美把手中的花递给小豆豆，她说，她现在的任务是收钱。

"不行，我也想收钱！"小豆豆不同意。

"你数学什么时候得过一百分，所以得我收钱。"黄美美一句话就把小豆豆弄得哑口无言了。

"卖花喽，三块钱一枝！"旁边的那位高个子叔叔大声吆喝着，没一会儿就卖出了五枝。

小豆豆推了推黄美美说："你快喊啊，人家都卖出去五枝了。"

黄美美刚想喊，看看街上来来往往

的人群，到嘴边的话又咽了回去。

"胆小鬼！"小豆豆冲黄美美做了个鬼脸，清了清嗓子喊道，"卖花喽，三块钱一枝！"

小豆豆是二年级二班有名的大嗓门，他这一吆喝，把过路人的目光全吸引过来了。有一对大哥哥、大姐姐买了两枝，还有一位叔叔一下子买了五枝。叔叔交完钱还很亲热地拍拍黄美美的肩膀说："小伙子，真能干！"这位叔叔把黄美美当成男生了。

黄美美一边把钱收到大手套中，一边冲小豆豆笑。

小豆豆现在很后悔，他没有把竹板带来，要不然他可以一边卖花，一边为人们表演快板儿，他的快板儿在全市获过二等奖呢！

不过，这也难不住他。他想了一会儿，开口唱道："两个小孩，两个小孩，来卖花，来卖花。好看的玫瑰花，三块钱一枝啦，快来买，快来买！"

黄美美一听就乐了，这不是《两只老虎》的调子吗？黄美美现在也不觉得不好意思了，她也随着小豆豆唱了起来。

这下，小豆豆和黄美美一下子成了焦点人物，不少人都停下来看，一会儿工夫，小豆豆手中的花就全卖光了，黄美美的大手套中也装满了钱。

"我们发财喽！"小豆豆高兴得跳了起来。就在这时，他发现离他们不远的那位卖花叔叔一直在盯着他们看。

"黄美美，快把钱收好，看到那个叔叔没，他一直在看我们，说不定他想抢我们的钱！"小豆豆小声地对正在数钱的黄美美说。

黄美美抬头看了一眼，故意装出很害怕的样子说："嗯，我看他没准儿是个大坏蛋。"

就在这时，卖花叔叔向他们走了过来。黄美美大声喊道："不许过来！"可是卖花叔叔只是迟缓了一下还是没住脚。

小豆豆着急了，他把黄美美推到身后冲卖花叔叔就冲了过去，卖花叔叔没防备，被小豆豆推了个大跟头。

黄美美急忙跑过去，把卖花叔叔扶起来。"爸爸，我不是告诉你要装作和

我不认识吗？你总是不听话！"黄美美
对卖花叔叔撒娇地说。

小豆豆愣住了。

"小豆豆，你还糊涂呢，这是黄美
美的爸爸。"不知什么时候，小豆豆的
妈妈已经站到了他身边。

妈妈怎么会一下子从商场"飞"到

这里来呢？黄美美的爸爸为什么要装成卖花的呢？小豆豆觉得脑子有点儿不够用了。

黄美美的爸爸一边和小豆豆的妈妈握手，一边说："唉，给小孩当保镖可真难啊！"小豆豆的妈妈苦笑着直点头。

"老爸，我有个主意，我刚才数完了，咱们已经把进花的钱挣出来了，现在我们把花分给过路的人吧！"黄美美看着爸爸手中那一大把红玫瑰说。

"这个主意真好，予人玫瑰，手有余香。"黄美美的爸爸高兴地同意了。

"妈妈，哪来的鱼，你闻到鱼的香味了吗？"小豆豆把手伸到妈妈的鼻子底下。

"哈哈，黄叔叔的意思是，送给别人玫瑰，送的人的手上会有剩下的香味；把快乐分给别人，自己也会很快乐。"小豆豆的妈妈扑哧笑了。

小豆豆和黄美美一边笑着对人们说"圣诞快乐"，一边把手中的花送给人们。看到收到花的人那盛开的笑容，小豆豆的心里都要乐开花了。

过了一会儿，他又有些担心，今晚，圣诞老爷爷会不会把风火轮送到黄美美的家里呢？

搞怪的愚人节

nǐ chī guo nà zhǒng hěn cì jī de hàn bǎo ma
"你吃过那种很刺激的汉堡吗？"

hé xiǎo dòu dou zhù yí gè xiǎo qū de zhāng lěi wèn xiǎo dòu
和小豆豆住一个小区的张磊问小豆

dou zhāng lěi yǐ jīng shàng liù nián jí le bú guò yīn wèi yǒu
豆。张磊已经上六年级了，不过因为有

shí hou shí zài zhǎo bú dào tóng nián líng de wán bàn tā yě zhǐ
时候实在找不到同年龄的玩伴，他也只

好将就着和比他小好几岁的小豆豆玩了。

"是那种很辣的汉堡吗？"小豆豆问。

"那种辣汉堡算什么，告诉你，我吃的那种汉堡比'变态辣'还要可怕呢！"

小豆豆曾经和张磊比赛吃"变态辣"烤肉串，结果一个肉串害得小豆豆连喝了两碗凉水，可是舌头还像被熨斗熨过一样。

于是从张磊口中，小豆豆知道了一种被同学抹上了芥末的汉堡曾经害得张磊鼻涕一把眼泪一把，也知道了一个新节日——愚人节。

"这还真是个惊险、刺激的节日

啊！"小豆豆心想，"比圣诞节还要有趣呢！"

当桃花开了的时候，小豆豆盼望的愚人节终于来到了。

早晨，小豆豆刚走进教室，田大壮就对他说："今天是你过节，祝你节日快乐！"

从张磊那里，小豆豆已经弄明白，愚就是愚蠢，田大壮的意思就是说他是个愚蠢的人。

小豆豆想了一下，突然看到黄美美的塑料书皮上有一个小猪练芭蕾的图案。

"田大壮，你这张照片拍得真帅！"小豆豆像发现宝藏一样大叫道。

一听有田大壮的照片，周围的同

学 都 凑 过 来 看 ，一 看 是 只 小 猪 ，大 家 全
乐 了 。

　　"今 天 是 愚 人 节 ，大 家 要 小 心 哦 ！"
黄 美 美 的 话 让 同 学 们 变 得 既 兴 奋 又 小
心 翼 翼 。

　　"圣 旨 到 ，宣 小 豆 豆 同 学 到 甜 甜 老师办公室。"第二节课间，黄美美从外面回到教室对小豆豆说。

"你想骗我，我才不上当呢！"小豆豆把头摇得像拨浪鼓。

"真的，我不骗你。真的是真的，真的不是假的。"黄美美像在说绕口令。

小豆豆就是坐在座位上不动。最后当甜甜老师出现在教室门口高声喊他名字的时候，小豆豆才明白黄美美没有骗他。

中午吃饭的时候，小豆豆站在讲台前说："甜甜老师通知下午第一节的语文课改成体活课。"同学们一听高兴得直"敲鼓"——用手拍桌子。体活课就是体育活动课，同学们可以自由自在地在操场上玩。

下午第一节课的上课音乐响起了，同学们还在操场上继续玩。

当甜甜老师走进教室时，不禁有些奇怪，教室里只有小豆豆一个人坐在那里。

"上课了还玩！小豆豆，快去把大家都喊进来！"甜甜老师说。

小豆豆跑到操场上，大声喊道："快回来吧，甜甜老师让大家马上回教室！"

"别骗人了！"正和几个女生玩打口袋的田大壮不屑地说，"今天是愚人节，你以为我们忘记了？"

女生们都跟着起哄。

小豆豆把嗓子都要喊哑了，大家还

是 该 玩 什么 玩 什么 。 这时 ， 甜甜 老师 有
些 生气 地 走 了 过来 。

"上课 了 怎么 还 不 回 教室 ？" 甜甜
老师 严肃 地 问 。

"今天 是 愚人节 ， 我们 还 以为 ——"
黄美美 说 ， 她 忽然 明白 过来 ， 原来 大家全上当了，"老师，小豆豆骗我们！"

"不用讲理由，没有及时回教室的同学每人写份检讨书，最少得写一百字，不会写的字用拼音代替。"

同学们一听甜甜老师的作业全都皱起眉头。

这时，甜甜老师扑哧笑了："小傻瓜们，你们不是说今天是愚人节吗，我刚才的话不算数。愚人节快乐！"

同学们全都欢呼起来。

可是，到晚上放学甜甜老师布置家庭作业的时候，同学们又都龇牙咧嘴、唉声叹气了。

因为，今天的家庭作业很特别，是以"我的愚人节"为题写一段话。

比石头还硬的蛋

duān wǔ jié dào le　　zhè yì tiān　　èr nián jí èr bān
端 午 节 到 了 。 这 一 天 ， 二 年 级 二 班

de tóng xué men yào jǔ bàn yí xiàng huó dòng　　dǐng dàn　　yě
的 同 学 们 要 举 办 一 项 活 动 —— 顶 蛋 ， 也

jiù shì kàn shéi dài lái de dàn zuì yìng
就 是 看 谁 带 来 的 蛋 最 硬 。

huáng měi měi tè yì ràng mā ma tiāo le yí gè dà gè
黄 美 美 特 意 让 妈 妈 挑 了 一 个 大 个

儿的红皮鸡蛋，妈妈说，这个鸡蛋可不是普通的鸡蛋，是笨鸡蛋，是山里吃虫子的鸡下的蛋，营养丰富，味道可好了！

黄美美才不关心蛋的营养和味道呢！她追着问妈妈："这个蛋硬不硬？"

"硬！"妈妈说。

"真的很硬吗？"黄美美缠着妈妈问。

锅里的油冒烟了，妈妈顺口开玩笑说："可硬了，比石头还要硬呢！"

黄美美揣着"像石头一样硬"的熟鸡蛋充满信心地来到学校。她现在就等着中午的顶蛋大赛了。

到了中午，甜甜老师一声令下，比赛正式开始了。当黄美美看到小豆豆手心里的那个像玻璃球大小的鹌鹑蛋时，差点儿笑到桌子底下。

"小豆豆，你的鹌鹑蛋得管我的鸡蛋叫爷爷哟！而且我妈妈说了，我的鸡蛋可是笨鸡蛋，比石头还硬呢！"黄美美得意地说。

小豆豆神秘地笑着说："别小瞧我的鹌鹑蛋，看招吧！"

黄美美虽然不忍心用大蛋欺负小蛋，可是小豆豆已经把鹌鹑蛋顶到了她的鸡蛋上。黄美美使足了劲儿，只听啪的一声，黄美美刚想向小豆豆说对不起，却发现自己的鸡蛋居然被一个小小的鹌鹑蛋顶破了皮。

"你——"黄美美简直不敢相信自己的眼睛。小豆豆得意地一笑，跑到别

的桌去比赛了。

黄美美伤心地把鸡蛋的"尸体"装进塑料口袋。"唉，老妈真是害死我了！"

"哎呀——"突然，坐在黄美美后面的何小米尖叫了一声。黄美美一看，何小米的手上黏糊糊的，原来她带了一个生鸡蛋和田大壮顶，结果一下就被田大壮打败了，蛋清和蛋黄弄了她一手。

黄美美连忙递给何小米一块抹布。看着何小米龇牙咧嘴的滑稽样儿，黄美美很庆幸妈妈没有给她带个生鸡蛋来比赛。

"哈哈——"从教室后面传来一阵笑声。黄美美跑过去，只见小豆豆正准备用那个"小不点儿"挑战吕跳跳的大

151

鹅蛋。

观看比赛的男生女生都为小豆豆呐喊："鹌鹑蛋，加油！"因为小豆豆手中的鹌鹑蛋和吕跳跳的大鹅蛋比起来实在是太可怜了。只有黄美美不同情小豆豆的"小不点儿"，她一个人为吕跳跳助威："大鹅蛋，必胜！大鹅蛋，必胜！"

鹌鹑蛋和大鹅蛋顶在了一起，小豆豆和吕跳跳的脑袋也顶到了一起。小豆豆鼓起了腮帮子，只听啪的一声，不可思议的事情发生了——大鹅蛋被小鹌鹑蛋顶破了皮。

"啊——"同学们惊讶地叫起来。小豆豆嘿嘿笑着，亲了鹌鹑蛋一口。

田大壮举起手中的鸡蛋，他的鸡蛋

已经打败了三个选手——一个鸡蛋、一个鸭蛋、一个鹅蛋，他有信心战胜小豆豆的鹌鹑蛋。为了增加比赛效果，田大壮提出，两个人相对跑，然后让两个蛋相撞。小豆豆不假思索就同意了。

大家让出一条过道，田大壮和小豆豆相对跑去，眼看两个蛋就要撞在一起了，小豆豆突然把鹌鹑蛋举过头顶说："田大壮，我还是让你一把吧！"

同学们都哄笑起来，都说小豆豆是不是害怕了。

第二回合，小豆豆没有躲闪。只听啪的一声，怪事又出现了，田大壮的鸡蛋皮破了。田大壮看了看手中的"破蛋"，三下五除二把皮剥了，把蛋塞进了嘴里。"你这不争气的破蛋，我吃了

你！"同学们都被田大壮夸张的吃相逗笑了。

这时，甜甜老师拎着个兜子走过来。她笑呵呵地看着小豆豆："你敢和我比一比吗？"

"这……我……还是不跟您比了。"小豆豆不好意思地把手摊开来，"对不起，我的这个鹌鹑蛋是个假蛋，它是石头做的。"

"啊！"大家都大声叫起来。黄美美摸了摸那个鹌鹑蛋，果然冰丝丝、硬邦邦的。

"我们还是比一比吧，看看是你的石头蛋厉害，还是我的蛋中之王厉害！"甜甜老师说着从兜子里捧出一个像小西瓜那么大的蛋。

"哇，鸵鸟蛋！"黄美美曾经在画报上见过鸵鸟蛋，可真正的鸵鸟蛋她还是第一次见到。

"老师，可以让我们抱抱这个蛋吗？"小豆豆问。

"当然可以，每人抱一下。"甜甜老师同意了。

轮到黄美美时，她差点儿没抱住。这个蛋实在是太重了。

"你们猜猜这个蛋有多重？"甜甜老师问。

同学们有的猜有一斤重，有的猜两斤重，有的猜十斤重。最后甜甜老师公布了答案，是两斤半重。

在同学们的呐喊声中，小豆豆的石头蛋要和甜甜老师的蛋中之王鸵

155

niǎo dàn bǐ sài le jié guǒ dà dàn hé xiǎo dàn dǎ le
鸟 蛋 比 赛 了 。 结 果 大 蛋 和 小 蛋 打 了

gè píng shǒu
个 平 手 。

wǒ yí dìng huì zài huí lái de xiǎo dòu dou xué
"我 一 定 会 再 回 来 的 ！" 小 豆 豆 学

zhe xǐ yáng yáng yǔ huī tài láng zhōng de huī tài láng de yǔ
着 《喜 羊 羊 与 灰 太 狼》 中 的 灰 太 狼 的 语

qì shuō
气 说 。

tóng xué men dōu yào xiào fān le
同 学 们 都 要 笑 翻 了 。

狐狸姐姐的话

　　《一年级的小豆豆》《一年级的小朵朵》出版之后，我收到了许多来自全国各地的小朋友的来信，这是我做梦都没有想到的。如果我的小学老师知道我居然出书了，而且还受到小读者的表扬，她会多么惊讶啊！因为上小学时，我的作文写得真是太糟糕了。我想一个曾经因为写作文头疼得要死的人都可以出书，你们，我聪明可爱的小读者一定会比我做得更好！其实写好作文的诀窍只有一个，那就是多读书。

　　小读者问我《一年级的小豆豆》是不是只给男生看的，而《一年级的小朵朵》是只给女生看的。我告诉大家，不是。其实，不管男生、女生都可以看这两本书。因为这两本书中写的就是男孩和女孩在学校的趣事，不分男生版和女生版。

　　还有的小读者问我，他马上要上二年级了，小豆豆、小朵朵什么时候能长大啊？是啊，人总要长大的，所以我又接着写了《二年级的小豆豆》《二年级的小朵朵》。

　　我还会继续写下去，让小豆豆上三年级、四年级、五年级、六年级。愿小豆豆陪着大家快乐成长。有时写着写着我会不由自主地微笑，我想起了我曾经教过的学生，想起了我现在七色狐书友会的小会员们，是小可爱们给了我灵感和动力。

　　谢谢我的学生和正在读这本书的你们！

我是快乐无敌的小豆豆！我写了两本日记！你也像我一样写日记吧！咱们比一比，看谁的日记更好玩！

《小豆豆快乐日记·蹦蹦跳跳一年级》
注音全彩美绘版

《小豆豆快乐日记·热热闹闹二年级》
注音全彩美绘版

姜小牙上学记

全银河系最爆笑的小学生日记！！！

小学生人手一册，让你爱上写日记。

来人哪！
快来看哪！

全银河系最爆笑小学生日记

《姜小牙上学记》

9月1日　星期一

　　我来到一年五班门前，走了进去，找了一个座位坐了下来。

　　这时，有一个小孩儿坐到我旁边。这个小孩儿的脑袋圆溜溜的，好滑稽呀！

　　这个小孩儿凑过来说："嘻嘻，请问这个锅巴脆不脆呀？"

　　"很脆呀，你听一听。"我把一片锅巴放在嘴里，咬了一下，发出"嘎巴"声。

　　这个小孩儿听完锅巴的声音后好像很失望，离开了。

我一下子明白了，我可真笨，他不是想听锅巴的声音，而是想尝一尝锅巴的味道。

我喊道："等一等，我这里还有好吃的巧克力，你要不要尝一下？"

这个小孩儿又跑过来，高高兴兴地坐在我身边。

我打开书包："你看，这里还有很多好吃的，咱们一起吃吧。"

这个小孩儿告诉我，他叫米小圈，喜欢看漫画书，却不喜欢画画。

哈哈，这个名字和我的一样好玩儿，米小圈和姜小牙，难道我们是天生的一对好朋友？而且我也喜欢看漫画书。

米小圈问我叫什么名字。

我告诉他我叫姜小牙时，米小圈捂着嘴笑个不停。

好吧，我承认我有一点儿生气了。

米小圈看着我的牙问道："你为什么叫姜小牙呢，你应该叫姜大牙才对呀。"

我告诉米小圈，我爸爸才叫姜大牙。听完后，米小圈又一次笑个不停。